目 次

U0390906

前　言

　　本标准是在分析、总结浙北—福州 1000kV 特高压交流输变电工程、川藏联网工程关于施工索道安装、运行、维护、拆除等方面经验的基础上，结合当前国内架空输电线路施工运输专用货运索道设计、制造的现状，首次编写的。

　　本标准由国家电网公司科技部归口。

　　本标准由国家电网公司基建部提出并负责解释。

　　本标准主要起草单位：中国电力科学研究院、国家电网公司交流建设分公司、国网福建省电力有限公司、福建省送变电工程公司、浙江省送变电工程公司、四川电力送变电建设公司、辽宁省送变电工程公司、陕西送变电工程公司、河南旭德隆机械有限公司、扬州国电通用电力机具制造有限公司、扬州市振东电力器材有限公司、宜兴市博宇电力机械有限公司。

　　本标准主要起草人：李明、胡凤英、王力争、杨怀伟、李磊、尹元、鞠月清、罗本壁、叶建云、鲍庆、景文川、李刚、刘利平、陈震、王超、任庆明、徐国庆、张天理、姚斌、徐忠人、贾云。

　　本标准首次发布。

架空输电线路施工专用货运索道

1 范围

本标准规定了架空输电线路施工专用货运索道的型式与型号，设计与选型要求，制造要求，检验与试验，以及标志、包装、运输、储存等内容。

本标准适用于架空输电线路施工专用货运索道。

2 规范性引用文件

下列文件对于本文件的应用是必不可少的。凡是注日期的引用文件，仅所注日期的版本适用于本文件。凡是不注日期的引用文件，其最新版本（包括所有的修改单）适用于本文件。

GB/T 191　包装储运图示标志

GB/T 699　优质碳素结构钢

GB/T 700　碳素结构钢

GB/T 985.1　气焊、焊条电弧焊、气体保护焊和高能束焊的推荐坡口

GB/T 985.2　埋弧焊的推荐坡口

GB/T 1591　低合金高强度结构钢

GB/T 3098.1　紧固件机械性能　螺栓、螺钉和螺柱

GB/T 3098.2　紧固件机械性能　螺母粗牙螺纹

GB/T 3766　液压系统通用技术条件

GB/T 5117　非合金钢及细晶粒钢焊条

GB/T 5118　热强钢焊条

GB/T 5293　埋弧焊用碳钢焊丝和焊剂

GB/T 5972　起重机　钢丝绳保养、维护、安装、检验和报废

GB/T 7935　液压元件通用技术条件

GB/T 9174　一般货物运输包装通用技术条件

GB/T 12470　埋弧焊用低合金钢焊丝和焊剂

GB/T 13306　标牌

GB/T 20118　一般用途钢丝绳

GB 50017　钢结构设计规范

GB/T 50205　钢结构工程施工质量验收规范

GB 50661　钢结构焊接规范

DL/T 318—2010　输变电工程施工机具产品型号编制方法

DL/T 875　输电线路施工机具设计、试验基本要求

DL 5009.2—2013　电力建设安全工作规程　第 2 部分：电力线路

Q/GDW 1418　架空输电线路施工专用货运索道施工工艺导则

3 术语和定义

Q/GDW 1418 中界定的以及下列术语和定义适用于本文件。

3.1

架空输电线路施工专用货运索道　special aerial material ropeway for over transmission line

一种将钢丝绳架设在支承结构上作为运行轨道，用于架空输电线路施工运输物料的专用运输系统，由支架、鞍座、运行小车、工作索、牵引装置、地锚、高速转向滑车、辅助工器具等部件组成。本标准中简称索道。

3.2

支架　trestle

支承工作索到设计高度的支承结构。

3.3

鞍座　saddle

连接在支架横梁上支撑工作索的装置。

3.4

运行小车　car

运送物料的运载工具，主要包括抱索器、吊杆或吊架、料斗或运输筐等。

3.5

工作索　working rope

承载索、牵引索、返空索、提升索统称为工作索。

3.5.1

承载索　carrying rope

承受有载运行小车重力的钢丝绳。

3.5.2

牵引索　haulage rope

牵引运行小车在承载索或返空索上运行的钢丝绳。

3.5.3

返空索　return rope

承受空载运行小车重力的钢丝绳。

3.5.4

提升索　lifting rope

缆式吊车索道中，提升物料的钢丝绳。

3.6

牵引装置　driving device

给牵引索提供动力的装置。

3.7

地锚　anchor underground

埋在地下通过拉线固定地上物体的部件。

3.8

高速转向滑车　high-speed steering pulley

控制牵引索变换方向的滑车。

3.9

辅助工器具　auxiliary equipment

集装箱、轻型辅助索道、钢丝绳套、钢丝绳卡具、手扳葫芦、起重滑车、卸扣等部件。

4 型式与型号

4.1 型式

索道按运输载荷可分为：1000kg 级索道、2000kg 级索道、4000kg 级索道。

4.2 型号

索道型号的编制应符合 DL/T 318—2010 的要求，其表示方法见图1。

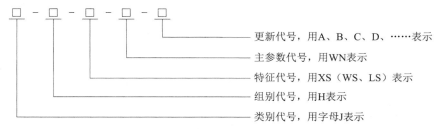

更新代号，用A、B、C、D、……表示
主参数代号，用WN表示
特征代号，用XS（WS、LS）表示
组别代号，用H表示
类别代号，用字母J表示

图 1　索道型号表示方法

类别代号：字母 J 表示基础类施工机具。

组别代号：字母 H 表示货运索道。

特征代号：字母表示索道类型，XS（WS、LS）为循环式（往复式、缆式吊车式）。

主参数代号：字母 W 表示索道运载能力，单位为 kg；字母 N 为罗马数字表示索道区段，Ⅰ表示索道≤1500m，最大跨距≤600m（单跨≤1000m），跨数≤6 跨，相邻支架最大弦倾角在 0°～35°（含）之间，支架高度≤6m；Ⅱ表示索道≤1500m，最大跨距≤600m（单跨≤1000m），跨数≤6 跨，相邻支架最大弦倾角在 35°～50°（含）之间，支架高度≤6m；Ⅲ表示索道在 1500m～3000m 之间，最大跨距≤600m（单跨≤1000m），跨数≤6 跨，相邻支架最大弦倾角在 0°～35°（含）之间，支架高度≤6m；Ⅳ表示索道在 1500m～3000m 之间，最大跨距≤600m（单跨≤1000m），跨数≤6 跨，相邻支架最大弦倾角在 35°～50°（含）之间，支架高度≤6m。

更新代号：指当产品进行更换或结构有重大改变，需要重新试制鉴定时，其改进代号按大写英文字母 A、B、C、D、……顺序采用，以区别于原型号。当产品为原型号且无改进型时，代号可省略。

示例：运载能力为1000kg，长度为800m，跨数为2，相邻支架最大弦倾角为20°，支架最大高度为4m 循环式索道，其型号表示为 JH-XS-1000Ⅰ；运载能力为1000kg，长度为800m，跨数为2，相邻支架最大弦倾角为40°，支架最大高度为4m 循环式索道，其型号表示为 JH-XS-1000Ⅱ。

4.3 主要部件型式与型号

4.3.1 支架

a)　支架型式。支架有单柱、双柱、三柱三种型式。

b)　支架型号。索道支架表示方法见图2。

主参数代号，用F表示
特征代号，用SJ表示

图 2　索道支架表示方法

特征代号：字母 SJ 表示索道支架。

主参数代号：字母 F 表示支架可承受的最大下压力，单位为 kN。

示例：最大下压力为60kN 的支架，其型号表示为 SJ-60。

c)　支架系列。支架系列技术参数见本标准附录 A。

4.3.2 鞍座

a) 鞍座型式。鞍座有承载索、牵引索、返空索用三种型式。

b) 鞍座型号。鞍座表示方法见图3。

主参数代号，用F/D/d/A表示
特征代号，用D/SC/F表示
组别代号，用字母SA表示

图 3 鞍座表示方法

组别代号：字母 SA 表示索道鞍座。

特征代号：字母 D 表示单承载索用；字母 SC 表示双承载索用；字母 F 表示返空索用。

主参数代号：字母 F 表示可承受最大压力，单位为 kN，字母 D 表示适用承载索直径，单位为 mm；字母 d 表示适用牵引索直径，单位为 mm；字母 A 为加强型，若为普通型则不标注。

示例：最大压力为 50kN，承载索直径为 20mm，牵引索直径为 12mm，双承载索用的鞍座，其型号表示为 SA-SC-50/20/12。

c) 鞍座系列。鞍座系列技术参数见本标准附录 B。

4.3.3 工作索

a) 工作索型式。工作索有承载索、牵引索、返空索、提升索四种型式。

b) 工作索型号。工作索型号为 6×36SW。

c) 工作索系列。工作索系列技术参数见本标准附录 C。

4.3.4 牵引装置

a) 牵引装置型式。牵引装置有牵引机、机动绞磨两种型式。

b) 牵引装置型号。牵引装置表示方法见图4。

主参数代号，F/v
特征代号，用 Y/D 表示
组别代号，用 SQJ 表示

图 4 牵引装置表示方法

组别代号：字母 SQJ 表示索道牵引机。

特征代号：字母 Y 表示液压式；字母 D 表示电动式；机械式不标注。

主参数代号：字母 F 表示最大持续牵引力，单位为 kN；字母 v 表示最大持续牵引力时的牵引速度数值，单位为 m/min。

示例：最大持续牵引力为 50kN，最大持续牵引力时的牵引速度为 30m/min 的液压式索道牵引机，其型号表示为 SQJ-Y-50/30。

c) 牵引装置系列。牵引装置系列技术参数见本标准附录 D。

4.3.5 运行小车

a) 运行小车型式。运行小车有单索式、双索式、四索式三种型式。

b) 运行小车型号。运行小车表示方法见图5。

组别代号：字母 SYC 表示索道用运行小车。

特征代号：字母 D 表示单承载索用运行小车；字母 SC 表示双承载索用运行小车。

主参数代号：字母 n 表示轮数，单轮不标注；字母 F 表示额定载荷，单位为 kN；字母 D 表示适用

Q／GDW 11189—2014

承载索直径，单位为 mm；字母 d 表示适用牵引索直径，单位为 mm。

图 5　运行小车表示方法

示例：额定载荷为 5kN，承载索直径为 20mm，牵引索直径为 12mm，单承载索用的双轮运行小车，其型号表示为 SYC-D-2/5/20/12。

c)　运行小车系列。运行小车系列技术参数见本标准附录 E。

4.3.6　地锚

a)　地锚型式。地锚有钢板式、桩锚两种型式。

b)　地锚规格。地锚有 50kN、100kN、150kN、200kN、300kN 五种规格。

c)　地锚系列。地锚系列技术参数见本标准附录 F。

4.3.7　高速转向滑车

a)　高速转向滑车型式。高速转向滑车型式宜为钢制、挂环单面开口型式。

b)　高速转向滑车型号。高速转向滑车表示方法见图 6。

图 6　高速转向滑车表示方法

组别代号：字母 SH 表示索道用滑车。

特征代号：字母 GZ 表示高速转向。

主参数代号：字母 D 表示轮底直径，单位为 mm；字母 d（B）表示轮槽直径，单位为 mm；字母 F 表示最大载荷，单位为 kN。

示例：额定载荷为 5kN，轮底直径为 180mm，轮槽直径为 13mm 的高速转向滑车，其型号表示为 SH-GZ-180/13/5。

c)　高速转向滑车系列。高速转向滑车系列技术参数见本标准附录 G。

5　设计与选型要求

5.1　一般要求

5.1.1　索道的设计应符合 GB/T 3766、GB 50017、DL/T875 及 DL 5009.2—2013 的相关规定要求。

5.1.2　索道标准化设计应满足一定边界条件，超出设计边界条件的索道应单独设计。工程应用索道，应根据额定运载重量、架设地形条件、工作环境温度等多种因素，逐一设计，选用标准化部件组建。

5.1.3　索道主要部件的安全系数如表 1 所示。

表 1　索道主要部件的安全系数

索道主要部件	承载索、返空索	牵引索	横梁、鞍座、地锚	支架、运行小车
安全系数	2.6～2.8	≥5	≥2.5	≥3

5.1.4　索道支架优先采用金属材料或复合材料。

5

5.1.5 索道支架的立柱或拉线应能独立调节。

5.1.6 索道应安装超载报警装置。

5.1.7 索道设计计算宜采用计算机编程，设计计算见本标准附录 H。

5.2 1000kg 级索道设计要求

5.2.1 1000kg 级索道设计的边界条件应为：单承载索，运载能力不大于 1000kg；多跨最大长度为 3000m，相邻支架间的最大跨距不宜超过 600m，相邻支架最大弦倾角不大于 50°；单跨最大跨距不宜超过 1000m，相邻支架最大弦倾角不大于 50°；工作环境温度一般为–20℃～40℃。

5.2.2 1000kg 级索道支架的设计应符合以下要求：

a） 纵向水平不平衡张力应按竖向下压力的 20%近似取值，作为验算横梁水平方向抗弯强度的依据。

b） 支架应设置拉线，保证支架稳定。

c） 支架横梁规格应由竖向下压力、横梁长度确定。

d） 支架的立柱规格应由所受的轴向下压力和支架高度确定。

e） 支架顶部两端均应设置 3 个方向的拉线挂孔，拉线挂孔宜平面朝斜下布置，平面与水平面向下夹角为 30°。

f） 支架立柱材料宜采用金属材料或复合材料，结构形式应采用格构式或圆管式，连接方式宜采用法兰连接。立柱单件标准长度可设计为 3m、2m、1m、0.5m 等组合形式，长度最长不宜超过 3m，单件最大重量宜控制在 50kg 内。立柱应有高度微调装置，最大调节长度不超过 500mm。

g） 支架高度超过 3m 时，同侧立柱间应设置横隔，横隔间距不得超过 3m。

h） 支架应设置钢结构柱脚底板，防止柱脚下沉。

i） 支架横梁尺寸应保证运行小车在承载索和返空索上相对运行通畅，运载货物相互间不得碰撞。

5.2.3 1000kg 级索道鞍座的设计应符合以下要求：

a） 绳槽宜采用尼龙衬垫，尼龙衬垫绳槽的半径应比承载索公称半径大 7.5%，宜以绳索的 1/3 圆周支撑绳索，以保证运行小车正常运行并允许承载索弯曲。

b） 鞍座各部位尺寸应与运行小车尺寸相匹配。

c） 鞍座应设置运行小车导向条。

d） 鞍座与支架的连接方式宜采用铰接方式。

5.2.4 1000kg 级索道工作索的设计要求：

a） 承载索、返空索。承载索、返空索宜选用线接触或面接触 6×36 同向捻钢丝绳，钢丝公称抗拉强度不宜小于 1670MPa。承载索直径应不小于 18mm，返空索的直径应不小于 12mm。

b） 牵引索。牵引索宜选用线接触或面接触同向捻钢丝绳，其钢丝公称抗拉强度不宜小于 1670MPa。牵引索的直径应不小于 13mm。

5.2.5 1000kg 级索道牵引装置的设计应符合以下要求：

a） 机械式索道牵引机上应配备正、反向制动装置，并且彼此独立。制动器应具有逐级加载和平稳停车的制动性能。

b） 索道牵引机的额定牵引速度不大于 32m/min，卷筒底径不小于 260mm。

c） 索道牵引机应选择双卷筒式设备。

5.2.6 1000kg 级索道运行小车的设计应符合以下要求：

a） 运行小车的强度应满足承载绳根数、承载力（单件最重物件重量）的要求。

b） 运行小车本体形状、抱索装置尺寸应与鞍座和牵引索直径相匹配。

c） 运行小车上抱索器的抗滑力不得小于物件在最大倾角处沿钢丝绳方向分力的 1.3 倍。抱索器应采用防松措施避免长期反复使用后对绳索的夹持力减小。

d） 运行小车行走轮的设计承载力不宜超过 10kN。

e） 运行小车行走轮轮缘断面形状应与承载索相适应，车轮直径不宜超过 125mm。车轮宜设对承载索有保护作用的耐磨轮衬。

    f)   运行小车宜有快速卸货的装置。

    g)   抱索器的抗滑力不得小于运行小车重力在最大倾角处沿钢丝绳方向分力的 1.3 倍，当牵引索直径增大或减小 10%时，抱索器的握着力也应满足抗滑要求。

    h)   抱索器前后出绳口应设计成圆弧状。

5.2.7 1000kg 级索道的地锚应按受力选择相应形式、规格。

5.2.8 1000kg 级索道高速转向滑车的设计要求：

    a)   高速转向滑车宜采用圆柱轴承。

    b)   高速转向滑车的槽底直径与牵引索直径的比值应不小于 15，包络角不宜大于 90°。

5.2.9 1000kg 级索道辅助工器具应按索道的跨数、载荷的分布情况选配。

5.3 2000kg 级索道设计要求

5.3.1 2000kg 级索道设计的边界条件应为：双承载索，运载能力不大于 2000kg；多跨最大长度为 2000m，相邻支架间的最大跨距不宜超过 600m，相邻支架最大弦倾角不大于 50°；单跨最大跨距不宜超过 1000m，相邻支架最大弦倾角不大于 50°；工作环境温度一般为–20℃～40℃。

5.3.2 2000kg 级索道支架的设计应符合以下要求：

    a)   纵向水平不平衡张力按竖向下压力的 20%近似取值，作为验算横梁水平方向抗弯强度的依据。

    b)   支架应设置拉线，保证支架稳定。

    c)   支架横梁规格由竖向下压力、横梁长度确定。

    d)   支架的立柱规格应由所受的轴向下压力和支架高度确定。

    e)   支架顶部应设满足安装和维修要求的起重架，支架头部应设带护栏的操作台，支架上应设工作梯。

    f)   支架顶部两端均设置 3 个方向的拉线挂孔，拉线挂孔宜平面朝斜下布置，平面与水平面向下夹角为 30°。

    g)   支架立柱材料宜采用金属材料或复合材料，结构形式应采用格构式或圆管式。立柱单件标准长度可设计为 3m、2m、1m、0.5m 等组合形式，单件最大重量宜控制在 50kg 以内，宜采用法兰连接，长度最长不宜超过 3m。立柱应有高度微调装置，最大调节长度不超过 500mm。

    h)   支架高度超过 3m 时，同侧立柱间应设置横隔，横隔间距不得超过 3m。

    i)   支架应设置钢结构柱脚底板，防止柱脚下沉。

    j)   支架横梁尺寸应保证运行小车在承载索和返空索上相对运行通畅，运载货物相互间不得碰撞。

5.3.3 2000kg 级索道鞍座的设计与本标准 5.2.3 相同。

5.3.4 2000kg 级索道工作索的设计要求

    a)   承载索、返空索。承载索、返空索宜选用线接触或面接触 6×36 同向捻钢丝绳，钢丝公称抗拉强度不宜小于 1670MPa。承载索直径单索应不小于 24mm、双索应不小于 18mm，返空索的直径应不小于 13mm。

    b)   牵引索。牵引索宜选用线接触或面接触同向捻钢丝绳，其钢丝公称抗拉强度不宜小于 1670MPa。牵引索的直径应不小于 16mm，最小张力应保证钢丝索不落地且在驱动轮上不出现打滑现象。

5.3.5 2000kg 级索道牵引装置的设计应符合以下要求：

    a)   机械式索道牵引机上应配备正、反向制动装置，并且彼此独立。制动器应具有逐级加载和平稳停车的制动性能。

    b)   索道牵引机的额定牵引速度不大于 32m/min，卷筒底径不小于 280mm。

    c)   索道牵引机宜选择双卷筒式设备。

5.3.6 2000kg 级索道运行小车的设计应符合以下要求：

    a)   运行小车的强度应满足承载绳根数、承载力（单件最重物件重量）的要求。

b) 运行小车本体形状、抱索装置尺寸应与鞍座和牵引索直径相匹配。

c) 运行小车上抱索器的抗滑力不得小于物件在最大倾角处沿钢丝绳方向分力的 1.3 倍。抱索器应采用防松措施避免长期反复使用后对绳索的夹持力减小。

d) 运行小车每个行走轮的设计承载力不宜超过 6kN。

e) 运行小车行走轮轮缘断面形状应与承载索相适应，车轮直径不宜超过 125mm。车轮宜设对承载索有保护作用的耐磨轮衬。

f) 运行小车宜有快速卸货的装置。

g) 抱索器的抗滑力不得小于运行小车重力在最大倾角处沿钢丝绳方向分力的 1.3 倍，当牵引索直径增大或减小 10%时，抱索器的握着力也应满足抗滑要求。

h) 抱索器前后出绳口应设计成圆弧状。

5.3.7 2000kg 级索道的地锚设计要求与本标准 5.2.7 相同。

5.3.8 2000kg 级索道高速转向滑车的设计要求与本标准 5.2.8 相同。

5.3.9 2000kg 级索道辅助工器具的选取与本标准 5.2.9 相同。

5.4 4000kg 级索道设计要求

5.4.1 4000kg 级索道设计的边界条件应为：双承载索，运载能力不大于 4000kg；多跨最大长度为 1500m，相邻支架间的最大跨距不宜超过 600m，相邻支架最大弦倾角不大于 50°；单跨最大跨距不宜超过 1000m，相邻支架最大弦倾角不大于 35°；工作环境温度一般为–20℃～40℃。

5.4.2 4000kg 级索道支架的设计要求与本标准 5.3.2 相同。

5.4.3 4000kg 级索道鞍座的设计与本标准 5.2.3 相同。

5.4.4 4000kg 级索道工作索的设计要求：

a) 承载索、返空索。承载索、返空索宜选用线接触或面接触 6×36 同向捻钢丝绳，钢丝公称抗拉强度不宜小于 1670MPa。承载索直径双索应不小于 26mm、返空索的直径应不小于 12mm。

b) 牵引索。牵引索宜选用线接触或面接触同向捻钢丝绳，其钢丝公称抗拉强度不宜小于 1670MPa。牵引索的直径：双承载索不小于 16mm。

5.4.5 4000kg 级索道牵引装置的设计应符合以下要求：

a) 机械式索道牵引机上应配备两套正、反向制动装置，并且彼此独立。制动器应具有逐级加载和平稳停车的制动性能。

b) 索道牵引机的额定牵引速度不大于 32m/min，卷筒底径不小于 320mm。

c) 索道牵引机宜选择双卷筒式设备。

5.4.6 4000kg 级索道运行小车的设计与本标准 5.3.6 相同。

5.4.7 4000kg 级索道的地锚设计要求与本标准 5.2.7 相同。

5.4.8 4000kg 级索道高速转向滑车的设计要求与本标准 5.3.8 相同。

5.4.9 4000kg 级索道辅助工器具的选取与本标准 5.2.10 相同。

6 制造要求

6.1 一般要求

索道部件相同规格的应具有互换性。

6.2 材料要求

6.2.1 索道部件应选用镇静钢，宜采用力学性能不低于 GB/T700 中的 Q235 钢和 GB/T699 中的 20 钢材；当结构采用高强度钢材时，可采用力学性能不低于 GB/T1591 中的 Q345、Q390、Q420 钢材。

6.2.2 部件的材料应有供应商提供的合格证及质量证明文件，其主要承载部件应具有良好的低温冲击韧性，并符合 GB/T 50205 的规定。采用 GB/T 50205 规定以外的材料，索道制造单位应进行验证。

6.2.3 材料必须有化学成分、屈服极限、强度极限、伸长率、冲击韧性、冷弯等试验证明，索道制造单位应进行复检。外观缺陷，如锈蚀、重皮、尺寸和形状误差等，均不得超过 GB/T 50205 的规定。主要承载部件，应进行疲劳校核。

6.2.4 钢丝绳应符合 GB/T 20118 的要求。

6.3 焊接要求

6.3.1 手工焊接的焊条应符合 GB/T 5117 或 GB/T 5118 的规定。选择的焊条牌号应与被焊件材料牌号、焊缝所受载荷的类型、焊接方法等适应。埋弧焊用焊丝与焊剂质量及组配应符合 GB/T 5293 和 GB/T 12470 的规定。焊接接头型式应符合 GB/T 985.1、GB/T 985.2 的规定。

6.3.2 焊接作业必须由持相应合格证的焊工施焊，并符合 GB 50661 相关焊接要求。

6.4 锻造要求

6.4.1 锻造构件应根据机械强度要求，正确选用钢材。

6.4.2 合理控制加热温度、开（终）锻温度和保温时间。

6.4.3 锻件需经热处理，以消除锻造应力。

6.4.4 清理锻件表面氧化皮，进行外观、硬度检查和无损探伤。

6.5 连接要求

6.5.1 索道部件应使用螺栓、销轴等牢固可靠连接。

6.5.2 索道连接用螺栓、螺母应符合 GB/T 3098.1 和 GB/T 3098.2 的规定，并应有性能等级符号标识及合格证书，使用前应复检。

6.6 牵引装置要求

6.6.1 索道牵引装置磨筒直径应大于最大使用钢丝绳直径的 15 倍。

6.6.2 索道牵引装置制造安装时应对动力部分加装减振装置，须在水箱、蓄电池、离合器及皮带传动机构加装安全保护罩壳，须在卷筒轴承端盖上设置润滑脂加注装置。

6.6.3 索道牵引装置应采用双卷筒牵引机，卷筒的抗滑安全系数在正常运行、制动时不得小于 1.25。

6.6.4 索道牵引装置机应设限速装置，索道运行速度超过额定运行速度 20%时应制动停车，索道停止运行。

6.6.5 挡位手柄准确，灵活可靠。传动离合器手柄操作力应小于 50N。

6.6.6 双牵引卷筒金属材料表面硬度应符合 HRC45～50，并具有良好的耐磨性。

6.7 支架要求

6.7.1 索道支架的标准节应具有互换性，采用开口型材时，其壁厚不得小于 5mm；采用闭口型材时，其壁厚不得小于 2.5mm，且内壁应进行防腐处理。

6.7.2 支架所有钢结构部件应采取有效防腐蚀措施，防腐蚀措施宜选用热镀锌方式。

6.7.3 索道支架横梁应设置 100kN 级承载索施工挂环，并应设置相应构件安装限位装置。

6.7.4 各焊接部位应焊牢、焊透，不应有裂纹、气孔、夹渣、咬母材等任何影响焊接质量的缺陷存在，焊缝应饱满。

6.7.5 支架法兰孔应采用工装加工，确保法兰的互换性。

6.7.6 支架立柱焊接应在工装上进行，以保证立柱单节长度误差不超过 2/1000，保证立柱组立后的直线度误差不超过 2/1000。

6.8 鞍座、运行小车要求

6.8.1 托索轮板及各滑轮应轮动灵活，无卡滞，各锐边倒钝。

6.8.2 各转动部件的轴承外侧应有防尘和密封装置。轴端应有注油装置。

6.8.3 锻件不应有过烧、过热、残余缩孔、裂纹、折叠及夹层等内外部缺陷，不允许将缺陷焊后再用。

6.8.4 承载索的鞍座应采用铸钢或焊接结构，绳槽宜设带润滑装置的尼龙或青铜衬垫。

6.8.5 无衬或青铜衬鞍座绳槽的曲率半径，应不小于承载索直径的 100 倍；尼龙衬鞍座绳槽的曲率半径，应不小于承载索直径的 150 倍。

7 检验与试验

7.1 出厂检验

7.1.1 主要部件检验

a) 支架。

　　1) 支架不得有明显变形、裂纹等严重外观缺陷。各焊接部位应焊牢、焊透，不得有裂纹、气孔、夹渣，焊缝应饱满。

　　2) 钢结构支架应采取防锈热镀锌处理。

　　3) 支架各部件连接螺栓应为6.8级以上高强螺栓，且拧紧后螺栓应超出螺母厚度2个螺距以上。

　　4) 支架立柱出厂前须进行试装配，支架各相应组装孔应能保证互换，整根立柱轴心线的弯曲度不应超过2/1000。

b) 鞍座。

　　1) 鞍座导向轮底径不应小于牵引索直径的6倍。转动部件可选用单面密封圈滚动轴承，保证转动灵活。

　　2) 鞍座导向轮轴应设计注油装置，保证润滑。

c) 工作索。

　　1) 工作索应符合GB/T 20118的要求。

　　2) 钢丝绳各线股之间及各股中的丝线应紧密结合，不得有松散、分股现象；钢丝绳各股及各股中丝线不得有断丝、交错、折弯、锈蚀和擦伤；绳股不得有松紧不一、塌入和凸起等缺陷，纤维芯不得干燥、腐烂。

　　3) 承载索、返空索不得有接头。牵引索插接的环绳其插接长度应不小于钢丝绳直径的100倍。

　　4) 钢丝绳套插接长度不小于钢丝绳直径的15倍，且不得小于300mm。

　　5) 钢丝绳端部用绳卡固定连接时，绳卡压板应在钢丝绳主要受力的一边，不得正反交叉设置；绳卡间距不应小于钢丝绳直径的6倍；绳卡数量应符合表2规定。

表2　钢丝绳端部固定绳卡数量

钢丝绳直径 mm	7～18	19～27	28～37
绳卡至少数量	3	4	5

d) 牵引装置。

　　1) 牵引装置采用双卷筒机械牵引机或液压牵引机的，卷筒底径应大于使用牵引绳直径的15倍，卷筒的抗滑安全系数在正常运行、制动时不得小于1.25。

　　2) 牵引装置运转应平稳、无漏油、漏水等异常现象，离合器、换挡手柄操作应灵活。

　　3) 牵引装置制造安装时应对动力部分加装减振装置，应在水箱、蓄电池、离合器及皮带传动机构加装安全保护罩壳，应在卷筒轴承端盖上设置润滑脂加注装置。

e) 运行小车。

　　1) 运行小车的结构应无裂纹、夹渣等缺陷，裸露表面应进行防腐处理。

　　2) 运行小车应标明额定载荷，运输砂石料的运行小车应标明额定容积。

　　3) 运行小车滑轮转动应灵活、无卡滞，其他部件机械强度应满足运行条件。

f) 地锚。

　　1) 地锚规格、埋深、地锚使用卸扣、钢丝绳套、拉线棒规格应与施工设计一致。

      2) 地锚应设置标牌注明：地锚规格、埋深、施工负责人。

   g) 高速转向滑车。

      1) 滑轮底径应不小于牵引索直径的 15 倍。

      2) 高速转向滑车应采用滚动轴承。

      3) 高速转向滑车轮轴应设计注油装置。

7.1.2 各部件间匹配连接及试组装的要求

   a) 各支架立柱间距应一致，以满足货物通过要求。

   b) 各支架横梁大小应一致，鞍座绳槽顶部距横梁间隙应能满足货运小车通过要求。

   c) 货运小车的轮槽半径、轮槽宽度、抱索器绳槽半径、抱索器大小与鞍座进行对比，保证其通过性。

   d) 使用双承载索的索道，应保证鞍座上两根承载索的宽度误差，不超过货运小车轮间隙自调整范围。

7.2 出厂试验

7.2.1 试验要求

   a) 试验过程中，运行小车应行走自如，不得出现脱索、滑索现象，货车的卸载装置应启闭灵活。

   b) 循环式索道启、制动时间不得超过 6s，往复式索道启、制动时间不得超过 10s。

   c) 索道额定载荷运行时，承载索安全系数应不低于 2.6。

   d) 货物对障碍物净空距离应大于 1m。

   e) 试验完成后，索道所有部件应无可见裂纹或超过设计许可的变形，地锚应无任何松动迹象。

   f) 试验时间不得少于 4h。

7.2.2 空载试验

   a) 从起始端发一辆空车，由慢速至额定速度进行通过性检查，运行小车运行过程中不得有任何阻碍。

   b) 空载试验主要检查工作索初始张力、运行小车行走状态、索道牵引机运行情况。

7.2.3 负荷试验

   a) 依次进行 50%负荷、80%负荷、100%额定负荷、110%过载载荷试验，每次试验均为一次循环，并应至少进行一次制动或换挡试验。每次试验后应对整个索道系统进行检查。试验过程中，应做好地锚的监测。

   b) 负荷试验后应对索道系统的各部件进行检查，确认安全、无隐患，方可出厂。

7.3 型式试验

7.3.1 索道在下列情况下应进行型式试验:

   a) 首台投入生产的。

   b) 停产 1 年后重新投产或转厂生产的。

   c) 主要结构、材料、关键工艺、主要机构、安全保护装置有较大改变，影响产品安全性能的。

   d) 根据有关法律、法规和安全技术规范要求型式试验的。

7.3.2 型式试验应包括以下内容：

   a) 出厂试验的全部内容。

   b) 索道牵引机制动装置寿命试验。

   c) 索道牵引机、支架、鞍座及运行小车 125%过载试验。

8 标志、包装、运输、储存

8.1 标志

8.1.1 支架横梁、鞍座、运行小车、高速转向滑车、地锚标志等应设喷漆标志，标志应在构件上固定牢靠，标志内容应包含产品型号、编号、额定载荷、生产日期等信息。

8.1.2 支架支腿标志应作出清楚正确的标志，标志宜采用喷漆标志，标志内容应包括产品型号、构件号、生产日期等内容。

8.1.3 工作索应设置标牌，标明工作索的规格型号、额定破断力及安装日期。

8.1.4 牵引装置标志

a) 牵引装置应在明显位置固定产品标牌，其要求应符合 GB/T 13306 中的规定，标牌应包括下列内容：产品名称和型号；额定牵引力、额定牵引速度；各挡位的牵引力及牵引速度；发动机型号、转速和功率；制造厂名称；外形尺寸；整机质量；出厂编号、出厂日期。

b) 牵引装置重要零部件应有标识，如标牌、标签等。标牌、标签应牢固清晰。

c) 所有的操纵杆、手柄、手轮均应有清晰标明其用途和操纵方向的标志，紧急制动手柄应有明显的区别。

d) 在经常需要检查、维修的重要部位，应设有提示标牌。

8.2 包装

8.2.1 支架的横梁、立柱及其附件应分别进行包装。横梁及其附件应一同装入相应规格的包装箱内。包装箱应设置固定横梁及其附件的木质垫块。立柱及其附件应一同装入相应规格的包装箱内。包装箱应设置固定立柱及其附件的木质垫块，每包构件应做到包捆整齐、牢固，并应有防止锌层损坏措施。

8.2.2 鞍座、运行小车、高速转向滑车、地锚宜采用木箱包装。包装箱内应设置隔断以分别安放鞍座、运行小车、高速转向滑车、地锚。

8.2.3 钢丝绳应用滚筒线盘盘绕成捆包装，包装应附有标志，标志应有规格型号、额定破断力、盘长、重量等内容。钢丝绳宜装入方形搁置框内，搁置框应设置防滚动装置。

8.2.4 牵引装置包装

a) 牵引装置及其零部件的包装标志，应符合 GB/T 191 的规定；

b) 牵引装置宜采用木箱包装。包装箱内应设置固定牵引装置的木质垫块。

8.2.5 辅助工器具应采用小型集装箱包装，集装箱内应设置固定辅助工器具的木质垫块。

8.2.6 各类索道设备、部件的包装箱内应有装箱单、技术文件。装箱单应与实物相符，其中应有产品编号、箱号、箱内零部件名称与数量、质量、连接件使用部位、发货日期、检验人员的签字。

8.2.7 索道各部件产品技术文件应包括以下内容：

a) 产品合格证、型式试验合格证。

b) 使用说明书。

c) 随机备件和附件工具清单。

d) 易损件清单。

8.3 运输

8.3.1 各种规格的索道装置宜采用集装箱运输。

8.3.2 集装箱应经过设计，充分利用集装箱空间，各种规格的索道装置应得到妥善安置。

8.3.3 运输应符合铁路、公路等交通运输的规定。同时根据运输条件和运输能力控制运输重量和包装重量。

8.3.4 在装卸过程中，注意装卸方法，不能损坏包装或使产品变形、损坏。

8.4 储存

8.4.1 储存时应有详细档案，储存期间的所有变动情况均应详细记入档案。

8.4.2 索道设备储存时，应采取有效措施防止结构发生变形，并应采取防雨、防潮、防晒等措施。

8.4.3 支架的横梁、立柱、鞍座、运行小车、高速转向滑车、地锚在储存时应进行检查，部件有变形、损坏应及时更换，标示不清时应重新喷漆标示。

8.4.4 钢丝绳在储存前应进行按照 GB/T 5972 标准的要求对钢丝绳进行保养清理，应清除铁锈及灰尘并涂油，涂油时应用热油（50℃左右）浸透绳芯，再擦去多余的油脂。

8.4.5 钢丝绳存放不应重叠压置，存放处应保持清洁、干燥、无污染。

8.4.6 牵引装置长期储存时，应卸去载荷，处于空载状态，手柄制于空挡位置。

8.4.7 储存应设产品标牌，长期储存后启用，应核对产品标牌与档案是否一致，并进行全面检查和试运行，锈蚀严重的零件应更换，润滑剂则应全部清洗后更换。

附　录　A
（规范性附录）
支 架 技 术 参 数

支架示意图如图 A.1 所示。

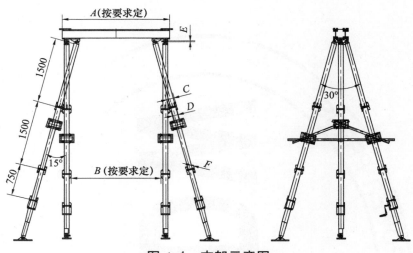

图 A.1　支架示意图

假设支架为门字型结构，单边只有一根支腿垂直受力，其余支腿均为辅助支撑，每个支架均为两根支腿受力，安全系数为3，则钢管立柱受力情况如表 A.1 所示。

表 A.1　钢 管 立 柱 受 力 情 况

支架型号	规格	材料	数量	额定下压力 kN	标准节长度 mm	备注
SJ-320	$\phi 108 \times 5 \times 3000$	Q235	2根	320	1500、750	
SJ-145	$\phi 108 \times 5 \times 4500$	Q235	2根	145	1500、750	
SJ-80	$\phi 108 \times 5 \times 6000$	Q235	2根	80	1500、750	
SJ-45	$\phi 108 \times 5 \times 8000$	Q235	2根	45	1500、750	
SJ-700	$\phi 140 \times 5 \times 3000$	Q235	2根	700	1500、750	
SJ-320	$\phi 140 \times 5 \times 4500$	Q235	2根	320	1500、750	
SJ-180	$\phi 140 \times 5 \times 6000$	Q235	2根	180	1500、750	
SJ-100	$\phi 140 \times 5 \times 8000$	Q235	2根	100	1500、750	
SJ-1280	$\phi 168 \times 5 \times 3000$	Q235	2根	1280	1500、750	
SJ-550	$\phi 168 \times 5 \times 4500$	Q235	2根	550	1500、750	
SJ-320	$\phi 168 \times 5 \times 6000$	Q235	2根	320	1500、750	
SJ-180	$\phi 168 \times 5 \times 8000$	Q235	2根	180	1500、750	
SJ-270	$\phi 194 \times 5 \times 8000$	Q235	2根	270	1500、750	
SJ-170	$\phi 194 \times 5 \times 10\,000$	Q235	2根	170	1500、750	
SJ-120	$\phi 194 \times 5 \times 12\,000$	Q235	2根	120	1500、750	

假设横梁为两根水平布置的工字钢，且受力均等，安全系数为3，则横梁受力情况如表A.2所示。

表A.2 横 梁 受 力 情 况

支架型号	规格	材料	数量	最大通过宽度 mm	主承载段长度 mm	额定下压力 kN	备注
SJ-100	工18×2400	Q345	2根	2000	1700	100	
SJ-100	工18×3000	Q345	2根	2600	1700	100	
SJ-120	工20a×2400	Q345	2根	2000	1700	120	
SJ-120	工20a×3000	Q345	2根	2600	1700	120	
SJ-160	工22a×2400	Q345	2根	2000	1700	160	
SJ-160	工22a×3000	Q345	2根	2600	1700	160	
SJ-210	工25a×2400	Q345	2根	2000	1700	210	
SJ-210	工25a×3000	Q345	2根	2600	1700	210	
SJ-270	工28a×2400	Q345	2根	2000	1700	270	
SJ-270	工28a×3000	Q345	2根	2600	1700	270	

支架立柱为圆管式的立柱单件标准节间的连接尺寸如表A.3所示。

表A.3 立柱单件标准节间的连接尺寸

规格	材料	横梁宽度 A mm	支腿有效距离 B mm	法兰 C mm	法兰孔距 D mm	销轴 E mm	法兰孔 F mm
$\phi108\times5$	Q345	2400	2020	$\phi180$	$\phi150$	$\phi30$	$\phi17\times6$
		3000	2620				
$\phi140\times5$	Q345	2400	1980	$\phi220$	$\phi190$	$\phi30$	$\phi17\times6$
		3000	2580				
$\phi168\times5$	Q345	2400	1950	$\phi250$	$\phi220$	$\phi30$	$\phi17\times8$
		3000	2550				
$\phi194\times5$	Q345	2400	1925	$\phi275$	$\phi240$	$\phi30$	$\phi17\times8$

支架立柱与横梁的连接示意图如图A.2所示，连接尺寸如表A.4所示。

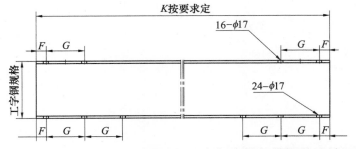

图A.2 支架立柱与横梁的连接示意图

表 A.4 支架立柱与横梁的连接尺寸

工字钢型号	材料	F mm	G mm	H mm	I mm
20a	Q345	35	130	70	218
20a	Q345	35	130	70	223
22a	Q345	35	130	70	234
25a	Q345	35	130	70	240
28a	Q345	35	130	70	246

附　录　B
（规范性附录）
鞍　座　技　术　参　数

鞍座示意图如图 B.1～图 B.3 所示。

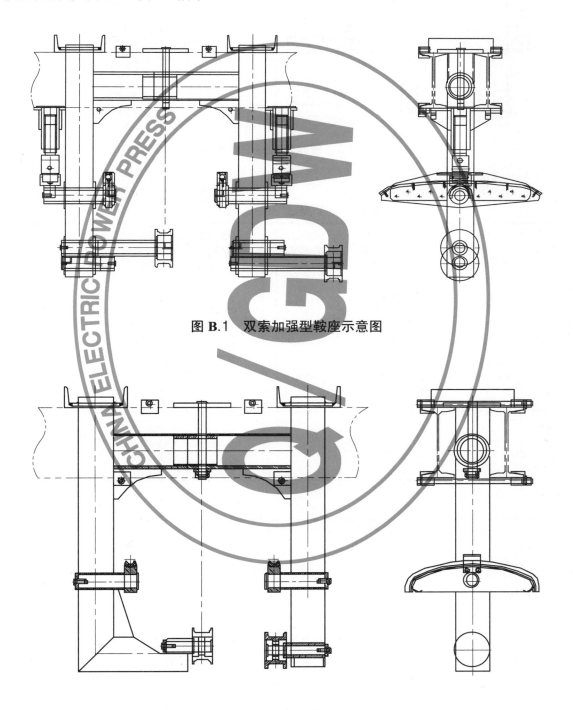

图 B.1　双索加强型鞍座示意图

图 B.2　组合式单双索通用型鞍座示意图

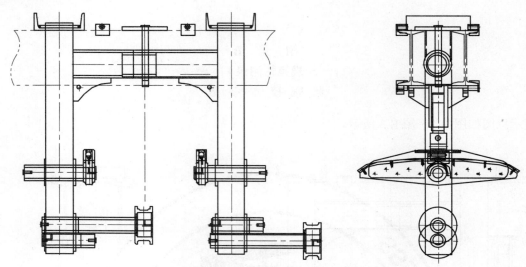

图 B.3 普通双索鞍座示意图

鞍座主要技术参数见表 B.1。

表 B.1 鞍座主要技术参数

鞍座名称	鞍座型号	适用横梁高度 mm	托索轮板额定支撑力 kN	适用承载索直径 mm	适用牵引索直径 mm	适用场合（具体情况视现场而定）
普通型组合式单双索通用鞍座	SA-D/SC-50/28/18	280	50	20～28	13～18	单次运量40kN以下，最大弦倾角不超过15°，单索循环或双索往复索道
加强型组合式单双索通用鞍座	SA-D/SC-150/28/18	280	150	20～28	13～18	单次运量40kN以下，最大弦倾角不超过30°，单索循环或双索往复索道
2+1 组合式单双索通用鞍座	SA-D/SC-50/28/18	250	50	20～28	13～18	单次运量40kN以下，最大弦倾角不超过15°，单索循环或双索往复索道
返空鞍座	SA-D-50/28/18	250	30	20～28	13～18	与 2+1 组合式单双索通用鞍座配合使用

附 录 C
（规范性附录）

工 作 索 技 术 参 数

工作索所用钢丝绳均为 6×36 钢丝绳，钢丝绳参数见表 C.1。

表 C.1 6×36 钢丝绳参数

序号	规格	参考质量 kg/100m		公称抗拉强度 σ_b MPa									
				1570		1670		1770		1870		1960	
				钢丝破断拉力总和不小于 kN									
		纤维芯	钢芯	纤维芯	钢芯	纤维芯	钢芯	纤维芯	钢芯	纤维芯	钢芯	纤维芯	钢芯
1	φ13	64.2	70.6	87.6	94.5	93.1	100	98.7	106	104	113	109	118
2	φ16	97.3	107	132	143	141	152	149	161	158	170	166	179
3	φ18	123	135	167	181	178	192	189	204	200	216	210	226
4	φ20	152	167	207	223	220	237	233	252	247	266	259	279
5	φ22	184	202	250	270	266	287	282	304	299	322	323	338
6	φ24	219	241	298	321	317	342	336	362	355	383	373	402
7	φ26	257	283	350	377	372	401	394	425	417	450	437	472
8	φ28	298	328	406	438	432	466	457	494	484	522	507	547
9	φ30	342	376	466	503	495	535	525	567	555	599	582	628

<h1 style="text-align:center">附 录 D</h1>

（规范性附录）

<h2 style="text-align:center">牵 引 装 置 技 术 参 数</h2>

牵引装置结构示意图如图 D.1 所示。

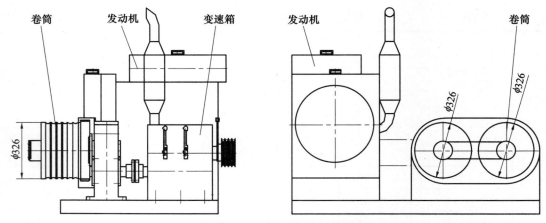

图 D.1 牵引装置结构示意图

牵引装置运行速度及主要技术参数见表 D.1、表 D.2。

表 D.1 牵 引 装 置 运 行 速 度

索道等级 kN	空载时最高速度 m/min	额定载荷时速度 m/min
10	＜60	＜32
20	＜60	＜32
40	＜60	＜32

表 D.2 牵 引 装 置 主 要 技 术 参 数

牵引力级别		40kN	20kN
型号		SQJ-40/33	SQJ-20/25
牵引力/对应速度	1 挡	11/139	30/15
	2 挡	38/42	20/25
	3 挡	27/58	14/34
	4 挡	90/17	8.5/54
	倒 1 挡	13/120	正反挡相同
	倒 2 挡	44/36	正反挡相同
磨芯底径 mm		310	310
制动方式		双向制动	一级自动、二级手动
适用钢丝绳直径 mm		≤18	≤18

表 D.2（续）

牵引力级别	40kN	20kN
质量 kg	885	670
动力	29kW、柴油机 3000r/min	16.2kW、柴油机 2200r/min

附　录　E
（规范性附录）
运 行 小 车 技 术 参 数

运行小车示意图如图 E.1～图 E.4 所示。

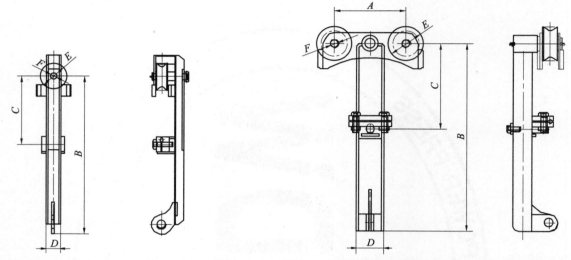

图 E.1　单索单轮运行小车示意图（S-D-1/5/28/18）　图 E.2　单索双轮运行小车示意图（S-D-2/10/28/18）

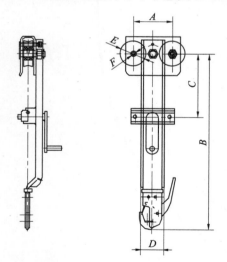 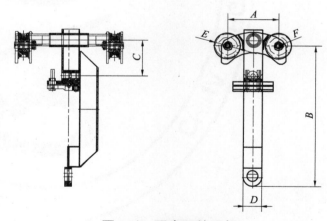

图 E.3　单索双轮运行小车
结构尺寸图（S-D-2/5/28/18）

图 E.4　双索四轮运行
小车示意图（SYC-SC-4/25/28/18）

运行小车主要技术参数见表 E.1。

表 E.1　运行小车主要技术参数

小车名称	小车型号	小车轮数	额定承载力 kN	适用承载索直径 mm	适用牵引索直径 mm	适用场合
双索小车	SYC-SC-4/25/28/18	4	25	20～28	13～18	单车运量 25kN 以下，双索往复索道

22

表 E.1（续）

小车名称	小车型号	小车轮数	额定承载力 kN	适用承载索直径 mm	适用牵引索直径 mm	适用场合
单索小车	S-D-2/10/28/18	2	10	20～28	13～18	单车运量 10kN 以下，单索循环和单索往复索道
	S-D-1/5/28/18	1	5	20～28	13～18	单车运量 5kN 以下，单索循环和单索往复索道
	S-D-2/5/28/18	2	5	20～28	13～18	单车运量 5kN 以下，单索循环和单索往复索道

运行小车主要尺寸见表 E.2。

表 E.2　运行小车主要尺寸　　　　　　　　　　　　　mm

小车型号	A	B	C	D	E	F
S-D-1/5/28/18		720	310	63	φ125	φ30
S-D-2/10/28/18	250	680	310	100	φ128	φ30
S-D-2/5/28/18	160	744	270	97	φ110	φ30
SYC-SC-4/25/28/18	280	800.5	271.5	100	φ128	φ30

运行小车轮槽示意图如图 E.5 所示，尺寸表见表 E.3。

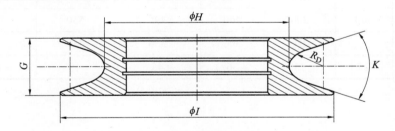

图 E.5　运行小车轮槽型示意图

表 E.3　运行小车轮槽尺寸表

小车型号	φI	φH	K（°）	R_D	G
S-D-1/5/28/18	120	81	60	15	45
S-D-2/10/28/18	125	94	90	15	52
S-D-2/5/28/18	120	81	60	15	45
SYC-SC-4/25/28/18	125	94	90	15	52

附　录　F
（规范性附录）
地　锚　技　术　参　数

地锚示意图如图 F.1 所示。

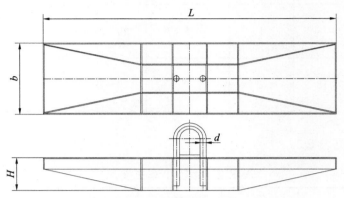

图 F.1　地锚示意图

地锚主要技术参数见表 F.1。

表 F.1　地　锚　主　要　技　术　参　数

mm

几何尺寸	规　格						
	30kN	50kN	100kN	150kN	200kN	300kN	400kN
长度 L	900	1200	1400	2000	2000	3000	4000
宽度 b	300	300	400	495	550	550	550
高度 H		250	300	350	430		
拉环直径 d	25	25	36	45	45	45	45

附 录 G
（规范性附录）
高速转向滑车技术参数

高速转向滑车示意图如图 G.1 所示，主要技术参数见表 G.1。

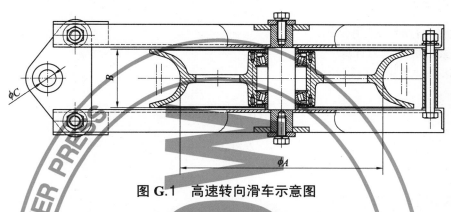

图 G.1 高速转向滑车示意图

表 G.1 高速转向滑车主要技术参数

型号	名称	额定载荷 kN	销轴、拔销、滑轮轴材料	φA mm	B mm	φC mm
SHGZ-280/27/80	高速转向滑车	80	40Cr	280	75	40
SHGZ-250/24/50	高速转向滑车	50	40Cr	250	45	32

附　录　H

（资料性附录）

索　道　计　算　方　法

H.1　承载索、牵引索计算

H.1.1　承载索受力分析及选用公式

H.1.1.1　承载索的最大张力计算

　　a)　初始状态（无集中荷载）

$$T = \frac{H_c}{\cos\beta} = \frac{l^2 w_c}{8f\cos^2\beta} \qquad\qquad (H.1)$$

$$\beta = \tan^{-1}\frac{h}{l} \qquad\qquad (H.2)$$

式中：

T ——承载索的最大张力，kg；

注：考虑到送变电行业计算习惯和方便计算，本附录中有关力和重量的单位均为 kg。

H_c ——承载索的水平张力，kg；

l ——承载索支点间的档距（对于单跨索道）或耐张段内的最大档距（对于多跨索道），m；

w_c ——承载索单位长度的重量，kg/m；

f ——承载索档距中点（对于单跨索道）或耐张段内最大档距中点（对于多跨索道）的垂度，m；

β ——承载索支点（对于单跨索道）或耐张段内最大档距承载索支点（对于多跨索道）的高差角，(°)；

h ——承载索支点（对于单跨索道）或耐张段内最大档距承载索支点（对于多跨索道）的高差，m。

　　b)　有单个集中荷载

$$T = \frac{H_c}{\cos\beta} = \frac{l^2}{8f\cos\beta}\left(\frac{w_c}{\cos\beta} + \frac{2Q}{l}\right) \qquad\qquad (H.3)$$

式中：

Q ——单个集中荷载的重量（包括附件及其索具重量），kg。

　　c)　有 N 个集中荷载

$$T = \frac{H_c}{\cos\beta} = \frac{l^2}{8f\cos\beta}\left(\frac{w_c}{\cos\beta} + \frac{Q}{s\cos\beta}\right) \qquad\qquad (H.4)$$

式中：

s ——各个集中荷载相邻间隔的平均值，m。

H.1.1.2　承载索档距中点的垂度计算

　　a)　无集中荷载

$$f = \frac{l^2 w_c}{8H\cos\beta} = \frac{l^2 w_c}{8T\cos^2\beta} \qquad\qquad (H.5)$$

　　b)　有单个集中荷载

$$f = \frac{l^2}{8H_c} = \left(\frac{w_c}{\cos\beta} + \frac{2Q}{l}\right) = \frac{l^2}{8T}\left(\frac{w_c}{\cos^2\beta} + \frac{2Q}{l\cos\beta}\right) \qquad\qquad (H.6)$$

c） 有 *N* 个集中荷载

$$f = \frac{l^2}{8H_c} = \left(\frac{w_c}{\cos\beta} + \frac{Q}{s\cos\beta} \right) = \frac{l^2}{8T} \left(\frac{w_c}{\cos^2\beta} + \frac{Q}{s\cos^2\beta} \right)$$ （H.7）

H.1.1.3 承载索任意点的垂度计算

a） 无集中荷载

$$f_x = \frac{x(l-x)w_c}{2H\cos\beta} = \frac{x(l-x)w_c}{2T\cos^2\beta} = 4\frac{x}{l}\left(1-\frac{x}{l}\right)f$$ （H.8）

式中：

f_x ——距离支点水平距离 *x* 处（对于单跨索道）或距耐张段内最大档距支点水平距离 *x* 处（对于多跨索道）承载索的垂度，m。

b） 有单个集中荷载

$$f_x = \frac{x(l-x)}{2H_{cx}}\left(\frac{w_c}{\cos\beta} + 2\frac{Q}{l}\right) = \frac{x(l-x)}{2T_x}\left(\frac{w_c}{\cos^2\beta} + 2\frac{Q}{l\cos\beta}\right)$$ （H.9）

式中：

f_x ——当单个集中荷载作用于距离支点水平距离 *x* 处（对于单跨索道）或距耐张段内最大档距支点水平距离 *x* 处（对于多跨索道）时，该处承载索的垂度，m；

H_{cx} ——当单个集中荷载作用于距离支点水平距离 *x* 处（对于单跨索道）或距耐张段内最大档距支点水平距离 *x* 处（对于多跨索道）时，承载索的水平张力，kg；

T_x ——当单个集中荷载作用于距离支点水平距离 *x* 处（对于单跨索道）或距耐张段内最大档距支点水平距离 *x* 处（对于多跨索道）时，承载索的最大张力，kg。

c） 有 *N* 个集中荷载

$$f_x = \frac{x(l-x)}{2H_{cx}}\left(\frac{w_c}{\cos\beta} + \frac{Q}{s\cos\beta}\right) = \frac{x(l-x)}{2T_x}\left(\frac{w_c}{\cos^2\beta} + \frac{Q}{s\cos^2\beta}\right)$$ （H.10）

式中：

f_x ——当集中荷载中心作用于距离支点水平距离 *x* 处（对于单跨索道）或距耐张段内最大档距支点水平距离 *x* 处（对于多跨索道）时，该处承载索的垂度，m；

H_{cx} ——当集中荷载中心作用于距离支点水平距离 *x* 处（对于单跨索道）或距耐张段内最大档距支点水平距离 *x* 处（对于多跨索道）时，承载索的水平张力，kg；

T_x ——当集中荷载中心作用于距离支点水平距离 *x* 处（对于单跨索道）或距耐张段内最大档距支点水平距离 *x* 处（对于多跨索道）时，承载索的最大张力，kg。

H.1.1.4 承载索的状态方程式

当集中荷载的重量和位置发生变化时，承载索的张力随之发生变化。由已知的第一种承载索受力状态数据，计算状态变化后第二种状态的受力情况，计算方法采用求解状态方程的方法。

a） 单跨索道的状态方程式

$$T_2^3 + T_2^2\left(\frac{EF}{T_1^2} g\frac{\frac{A_1}{l}}{\cos\beta} - T_1\right) = \frac{EF}{l}\frac{A_2}{\cos\beta}$$ （H.11）

式中：

T_1 ——第一种荷载状态下，承载索的最大张力，kg；

T_2 ——第二种荷载状态下，承载索的最大张力，kg；

E ——承载索的弹性系数，kg/cm²；

F ——承载索的截面积，cm^2；

A_1 ——第 1 种荷载状态下的荷载因数，对照表 H.1 中具体荷载形式计算，$kg^2 \cdot m$；

A_2 ——第 2 种荷载状态下的荷载因数，对照表 H.1 中具体荷载形式计算，$kg^2 \cdot m$。

b） 多跨索道的状态方程式

$$T_2^3 + T_2^2 \left(\frac{EF}{T_1^2} g \sum_{i=1}^{n} \frac{A_{1i}}{\dfrac{l_i}{\cos \beta_i}} - T_1 \right) = EF \sum_{i=1}^{n} \frac{A_{2i}}{\dfrac{l_i}{\cos \beta_i}} \qquad （\text{H}.12）$$

式中：

β_i ——第 i 档的高差角，（°）；

l_i ——第 i 档的档距，m；

n ——承载索的档数；

A_{1i} ——第 1 种荷载状态下第 i 档的荷载因数，对照表 H.1 中具体荷载形式计算，$kg^2 \cdot m$；

A_{2i} ——第 2 种荷载状态下第 i 档的荷载因数，对照表 H.1 中具体荷载形式计算，$kg^2 \cdot m$。

表 H.1 荷 载 因 数 A 计 算 表

荷载形式	A 的数值
无集中荷载	$A = \dfrac{G_c^2 l}{24 \cos \beta}$ $G_c = \dfrac{lw}{\cos \beta}$ 式中： G_c ——档距 l 中承载索的总重量，kg。
有单个集中荷载	$A = \dfrac{G_c^2 l}{24 \cos \beta} + \dfrac{x(l-x)}{2l \cos \beta} Q(Q + G_c)$ 式中： x ——集中荷载作用点距离支点的水平距离，m。
有 N 个集中荷载	$A = \dfrac{G_c^2 l}{24 \cos \beta} + \dfrac{NQl}{2k^2 \cos \beta} \left[\dfrac{xy}{s^2} (NQ + G_c) + \dfrac{N-1}{6} (bNQ + aG_c) \right]$ 式中： $a = 3k - (2N-1)$ $b = \dfrac{2N-1}{n} k - \dfrac{3}{2}(N-1)$ $k = \dfrac{l}{s}$ x、y ——首末端集中荷载分别距离两支点的水平距离，m； N ——集中荷载的个数。

H.1.1.5 承载索弯曲应力的校验

将最大张力 T 代到下式，校验荷载动滑车引起的承载索弯曲应力。

$$\sigma_w = \frac{Q}{m} \sqrt{\frac{E}{FT}} \leqslant 0.86 \sigma_1 \qquad （\text{H}.13）$$

$$\sigma_1 = \frac{T}{F} \tag{H.14}$$

式中：

m——支撑 Q 的荷载动滑车个数；

σ_w ——承载索的弯曲应力，kg/cm²；

σ_1 ——承载索的拉应力，kg/cm²。

H.1.1.6 承载索的选择计算程序

根据承载索的选择原则，选定当集中荷载作用于档距中点时，确定档距中点承载索的容许最小垂度（5%～7%的档距）范围，并取值。

a) 计算集中荷载作用于档距中点时，承载索的最大张力。

    1) 有单个集中荷载

$$T = \frac{2Q}{8\frac{f_{min}}{l}\cos\beta - k_1 k \frac{l}{\cos\beta}} \tag{H.15}$$

$$k_1 = \frac{w}{T_b} \tag{H.16}$$

式中：

k ——承载索的强度安全系数，取 2.6～2.8；

k_1 ——承载索单位长度重量对其破断拉力之比，对单绕捻钢丝绳（即钢绞线），可取平均值为 6.8 $\times 10^{-5}$，m⁻¹；

f_{min} ——档距中点承载索的容许最小垂度，m；

T_b ——承载索的破断拉力，kg。

    2) 有 N 个集中荷载

$$T = \frac{2Q}{8\frac{f_{min}}{l^2}S\cos\beta - k_1 k s} \tag{H.17}$$

b) 选定承载索的截面规格。

$$T_b = kT \tag{H.18}$$

c) 校验集中荷载位于地面障碍物垂直上空时，该处承载索的垂度。

$$f_k = \frac{x(l-x)}{2T_x}\left(\frac{w_c}{\cos^2\beta} + 2\frac{Q}{l\cos\beta}\right) \tag{H.19}$$

式中：

f_k ——当集中荷载位于地面障碍物垂直上空时，该处承载索的垂度，m；

x ——地面障碍物距承载索跨越档低支点的水平距离，m。

d) 将最大张力 T 代到式（H.13）和式（H.14）中，校验荷载动滑车引起的承载索弯曲应力。

e) 将承载索的最大张力 T 作为第一种状态代入状态方程式（H.11）或式（H.12）中的 T_1，求出空载时承载索的最大张力 T_2，即承载索的最大安装拉力 T_{zmax}。

f) 将承载索的最大安装拉力 T_{zmax} 代入式（H.20），计算承载索空载时的安装垂度

$$f_a = \frac{l^2 w_c}{8T_{zmax}\cos^2\beta} \tag{H.20}$$

式中：

f_a ——承载索空载时档距中点的垂度，m。

H.1.2 牵引索受力分析及选用公式

H.1.2.1 牵引索的最大总拉力

牵引索的最大总拉力包括集中荷载沿牵引索方向上的分力、荷载动滑车沿承载索滚动时的摩擦力、牵引索的回引绳作用于荷载动滑车上的反拉力和牵引端高速转向定滑车的摩擦阻力。

牵引索的安全系数应大于等于5。

$$P = (P_1 + P_2 + P_3)\varepsilon_{\mathrm{d}} \qquad\qquad (\mathrm{H.21})$$

式中:

P——牵引索的最大总拉力,kg;

ε_{d}——牵引端高速转向滑车的阻力系数,可参见表 H.2。

表 H.2 阻 力 系 数

钢索类型	轴承类型	牵引端高速转向滑车包角 φ	阻力系数 ε_{d}
钢丝绳	滑动轴承	$90° < \varphi \leqslant 180°$	1.05
		$0° < \varphi \leqslant 90°$	1.04
	滚动轴承	$90° < \varphi \leqslant 180°$	1.02
		$0° < \varphi \leqslant 90°$	1.015

H.1.2.2 集中荷载沿牵引索方向上的分力 P_1

$$P_1 = Q\sin\gamma_{\max} = \frac{lw_{\mathrm{c}}}{2T}\left(1 + \frac{\pm h_{\max}}{4f_0}\right)Q = 4\frac{f_0}{t}\cos^2\beta\left(1 + \frac{\pm h_{\max}}{4f_0}\right)Q \qquad (\mathrm{H.22})$$

式中:

f_0——承载索空载时档距中点(对于单跨索道)或耐张段内最大档距中点(对于多跨索道)的垂度,m;

$\gamma_{\max}$——荷载距牵引方向支架挂点的最大高差角,(°);

$h_{\max}$——承载索支点间的高差(对于单跨索道)或耐张段内承载索支点间的最大高差值(对多跨索道)(当向较高处的支点牵引时,其前取+号;向较低处的支点牵引时,其前取–号),m。

H.1.2.3 荷载动滑车沿承载索滚动时的摩擦力 P_2

$$P_2 = \mu_{\Sigma}Q\cos\gamma_{\max} = \mu_{\Sigma}Q\cos\beta \qquad\qquad (\mathrm{H.23})$$

$$\mu_{\Sigma} = \frac{\mu}{10} + \frac{\mu'}{R} \qquad\qquad (\mathrm{H.24})$$

式中:

μ_{Σ}——荷载动滑车的滑轮沿承载索滚动时的总摩擦系数;

μ——荷载动滑车轮轴间的滑动摩擦系数,用青铜轴套时,取 0.06～0.1,用滚动轴承时,取 0.01～0.02;

μ'——荷载动滑车的滑轮沿承载索滚动时的滚动摩擦系数,一般取 0.05cm～0.06cm;

R——荷载动滑车滑轮的半径,cm。

H.1.2.4 牵引索的回引绳作用于荷载动滑车上的反拉力 P_3

P_3 取 100kg。

H.2 支架受力计算

H.2.1 支架横梁总下压力计算

支架横梁总下压力受力示意图如图 H.1 所示。

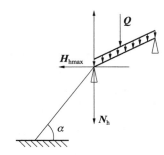

图 H.1 支架横梁总下压力受力示意图

支架横梁的总下压力计算见式（H.25）。

$$N_h = \frac{G_z}{2} + Q + H_{hmax}\tan\alpha = \frac{G_z}{2} + Q + (n_1 H_{cmax}\tan\alpha + 2H_q\tan\alpha) \qquad （H.25）$$

$$G_z = G_c + G_f + G_q = \frac{n_1 l_z \omega_c}{\cos\beta} + \frac{n_2 l_z w_f}{\cos\beta} + \frac{n_3 l_z w_q}{\cos\beta} \qquad （H.26）$$

式中：

N_h ——作用于支架横梁的总下压力，kg；

H_{hmax} ——作用于横梁的最大总水平张力，kg；

H_{cmax} ——当荷载位于档距中点（对于单跨索道）或耐张段内最大的档距中点（对于多跨索道）时，承载索的最大水平张力，kg；

H_q ——承载索最大水平张力时对应的牵引索张力，kg；

G_z ——档距内钢丝绳的总重量，kg；

G_c ——档距内承载索的总重量，kg；

G_f ——档距内返空索（规格与承载索相同）的总重量，kg；

G_q ——档距内牵引索的总重量，kg；

n_1 ——承载索数量，根；

n_2 ——返空索数量，根；

n_3 ——牵引索数量，根；

w_f ——返空索单位长度重量，kg/m；

w_q ——牵引索单位长度重量，kg/m；

l_z ——承载索计算档支点间的档距，m；

α ——承载索锚固在地面时与水平面的夹角，应不大于30°，取$\alpha = 30°$。

H.2.2 支架横梁的水平不平衡力计算

支架横梁的水平不平衡力主要由支架承载索鞍座与钢丝绳的摩擦力产生，支架鞍座受力示意图如图 H.2 所示，因此仅计算 f_m 即可。

$$P_h = f_m = N_h \varepsilon_m \qquad （H.27）$$

式中：

P_h ——支架横梁的水平不平衡力，kg；

f_m ——支架横梁鞍座上产生的摩擦力，kg；

ε_m ——摩擦系数，取 0.15。

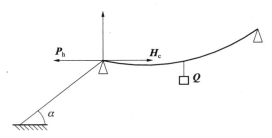

图 H.2   支架鞍座受力示意图

H.2.3   门型支架支柱的受力计算

门型支架支柱受力分析示意图如图 H.3 所示。门型支架支柱单腿顺线路拉线拉力主要是平衡支架横梁的不平衡力，计算见式（H.28）。

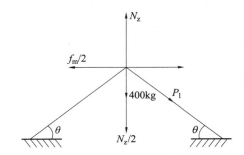

图 H.3   门型支架支柱受力分析示意图

$$P_1 = \frac{f_m}{2\cos\theta} \tag{H.28}$$

式中：

P_1 ——门型支架支柱单腿顺线路拉线拉力，kg；

θ ——顺线路前后方拉线对地夹角，（°）。

门型支架支柱单腿下压力 N_z 主要包含 P_1 产生的下压力、支架横梁总下压力 N_h 的一半和单侧横线路拉线产生的下压力（取 400kg），计算见式（H.29）。

$$N_z = \frac{N_h}{2} + f_m\tan\theta + 400 \tag{H.29}$$

门型支架支柱单腿水平力 P_s 计算见式（H.30）。

$$P_s = \frac{f_m}{2} \tag{H.30}$$

H.2.4   门架人字形支柱计算

人字形两支柱间的张角为 λ，宜设置为 30° 左右，计算时仅计算单根支柱的轴向压力 N_{zh}，见图 H.4，计算见式（H.31）。

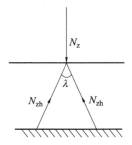

图 H.4   人字形支柱受力分析示意图

$$N_{zh}=\frac{N_z}{2\cos\frac{\lambda}{2}}\tag{H.31}$$

式中：

λ——人字形支柱之间的夹角，（°）。

H.3 鞍座的设计计算

H.3.1 吊臂的强度验算

鞍座在承受承载索和返空索对它的下压力时，根据刚性体上力的平移理论，鞍座吊臂将承受承载索和返空索下压力的合力，以及承载索和返空索下压力产生的对吊臂中心线的弯矩的共同作用。如图 H.5 所示。相关计算见式（H.32）～式（H.35）。

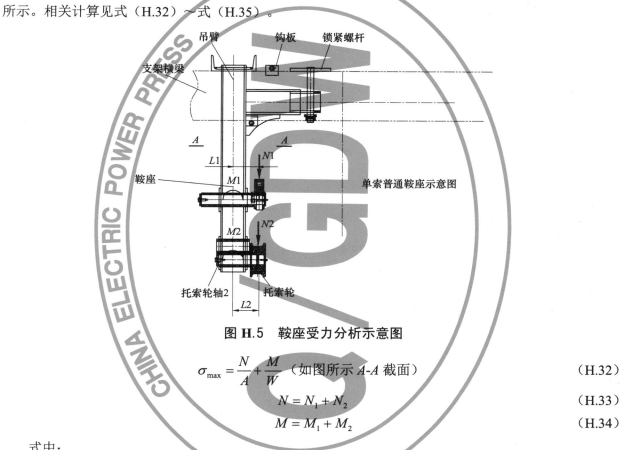

图 H.5 鞍座受力分析示意图

$$\sigma_{max}=\frac{N}{A}+\frac{M}{W}\quad(\text{如图所示 } A\text{-}A \text{ 截面})\tag{H.32}$$

$$N=N_1+N_2\tag{H.33}$$

$$M=M_1+M_2\tag{H.34}$$

式中：

σ_{max}——截面最大应力，kg；

A——材料的截面面积（材料表中可以查出），cm²；

N_1——承载索对鞍座的力，kg；

N_2——牵引索对鞍座的力，kg；

W——抗矩截面模量（材料表中可以查出），cm³；

M_1——承载索对鞍座臂的弯矩，kg·cm；

M_2——牵引索对鞍座臂的弯矩，kg·cm。

$$K=\frac{\sigma_s}{\sigma_{max}}\tag{H.35}$$

式中：

K——安全系数；

σ_s——材料的屈服强度，kg/cm²。

H.3.2 托索轮板轴的强度验算

托索轮板轴的强度计算见式（H.32）～式（H.38）。

1） 按抗剪强度设计计算：

$$d_0 \geqslant \sqrt{\frac{F_C}{m\frac{\pi}{4}[\tau]}} \tag{H.36}$$

$$[\tau] = \sigma_s / 2.5 \tag{H.37}$$

式中：

d_0——受剪直径，cm；

F_C——横向载荷，kg；

m ——受剪面个数；

$[\tau]$——需用剪切应力，kg/cm²；

σ_s——材料的屈服强度，kg/cm²。

2） 按抗弯强度校核计算：

$$\sigma = \frac{M_b}{W_x} \leqslant \sigma_\phi \tag{H.38}$$

式中：

σ ——受拉一边的最大拉应力，kg/cm²；

M_b——弯矩，kg·cm；

W_x——截面对 x-x 的抗弯截面模数，cm³；

σ_ϕ——材料需用拉应力，kg/cm²。

H.3.3 托索轮轴承的选用

托索轮轴承宜选用两个单边带密封的深沟球轴承，使用寿命应达到 3000h 以上。

架空输电线路施工专用货运索道

编 制 说 明

目　　次

一、编制背景

本标准是依据《关于下达 2014 年度公司技术标准制修订计划的通知》（国家电网科〔2014〕64 号）的要求编写的。

随着浙北—福州 1000kV 特高压交流输变电工程架空输电线路、川藏联网工程架空输电线路的开工建设，重型设备、钢管塔塔材运输等面临难题。架空输电线路施工货运索道，特别是中型、重型索道是解决特高压工程山区运输难题的主要施工装备，索道运输已成为影响特高压线路工程工期和安全的关键环节之一。但目前索道的生产尚无标准可依，从而索道产品的规格、形式也不尽相同，质量也优劣不一。因此根据《关于下达 2014 年度公司技术标准制修订计划的通知》（国家电网科〔2014〕64 号）的要求，国家电网公司基建部组织国家电网公司交流建设分公司、中国电力科学研究院、国网福建省电力有限公司、川藏联网工程建设指挥部、福建省送变电工程公司、浙江省送变电工程公司、四川电力送变电建设公司、辽宁省送变电工程公司、陕西送变电工程公司、河南旭德隆机械有限公司、宜兴市博宇电力机械有限公司、扬州国电通用电力机具制造有限公司、扬州市振东电力器材有限公司成立编写组，开展本标准的编写工作。

本标准编制的目的是规范架空输电线路施工专用货运索道的设计、制造、检验、试验、标志、包装、运输、储存，使架空输电线路施工专用货运索道设计、制造标准化，确保架空输电线路施工专用货运索道制造质量。

二、编制主要原则

本标准根据以下原则编写：

（1）遵循全面、准确、规范的理念。

（2）体现创新性。

（3）具有较强的针对性和可操作性。

（4）明确输电线路工程货运架空索道的施工、设计、制造、检验、试验、标志、包装、运输、储存的要求。

三、与其他标准文件的关系

本标准与相关技术领域的国家现行法律、法规和政策保持一致。

本标准不涉及专利等知识产权。

本标准在编制过程中主要参考了如下标准：

GB/T 191　包装储运图示标志

GB/T 699　优质碳素结构钢

GB/T 700　碳素结构钢

GB/T 985.1　气焊、焊条电弧焊、气体保护焊和高能束焊的推荐坡口

GB/T 985.2　埋弧焊的推荐坡口

GB/T 1591　低合金高强度结构钢

GB/T 3098.1　紧固件机械性能　螺栓、螺钉和螺柱

GB/T 3098.2　紧固件机械性能　螺母粗牙螺纹

GB/T 3766　液压系统通用技术条件

GB/T 5117　非合金钢及细晶粒钢焊条

GB/T 5118　热强钢焊条

GB/T 5293　埋弧焊用碳钢焊丝和焊剂

GB/T 5972　起重机　钢丝绳保养、维护、安装、检验和报废

GB/T 7935　液压元件通用技术条件

GB/T 9174　一般货物运输包装通用技术条件

GB/T 12470　埋弧焊用低合金钢焊丝和焊剂

Q / GDW 11189—2014

GB/T 13306　标牌

GB/T 20118　一般用途钢丝绳

GB 50017　钢结构设计规范

GB/T 50205　钢结构工程施工质量验收规范

GB 50661　钢结构焊接规范

DL/T 318—2010　输变电工程施工机具产品型号编制方法

DL/T 875　输电线路施工机具设计、试验基本要求

DL 5009.2—2013　电力建设安全工作规程　第2部分：电力线路

Q/GDW 1418　架空输电线路施工专用货运索道施工工艺导则

四、主要工作过程

（1）2013年9月，国家电网公司基建部组建编写组，编制工作大纲及明确工作分工。

（2）2013年10月，编写组开展调研和资料收集。

（3）2013年11月1日，编写组提交国家电网公司基建部成果编写大纲及工作计划。

（4）2013年11月4～8日，编写组集中工作，编写初稿。

（5）2013年11月20日，国家电网公司基建部组织召开第一次审查会。此次审查会议，结合现场试验情况，审查成果第一稿，统一标准中相关术语、定义；索道主要型式、型号表示原则及要求；索道主要技术参数。

（6）2013年11月30日，编写组修改完善形成第二稿。

（7）2013年12月6日，国家电网公司基建部组织召开第二次审查会。

（8）2013年12月30日，国家电网公司基建部组织编写组修改完善，形成征求意见稿。

（9）2014年1月10日，国家电网公司基建部组织参与单位及特邀专家，审查征求意见稿（初稿）。

（10）2014年1月20日，编写组修改完善征求意见稿（初稿），形成征求意见稿，并下发国家电网公司系统各单位、制造厂家征求意见。

（11）2014年2月21日，国家电网公司基建部组织召开本标准送审稿的审查会，审查专家组对本标准逐条进行了审查并提出了审查意见和建议，审查专家组建议编写组进行修改完善后尽快形成报批稿。

（12）2014年3月，编写组根据审查意见和建议，对送审稿进行了修改和完善形成了报批稿，具备报批条件。

五、标准结构和内容

标准结构按照货运索道制造流程编排。标准正文共设8章：范围；规范性引用文件；术语和定义；型式与型号；设计与选型要求；制造要求；检验与试验；标志、包装、运输、储存。标准还设了7个规范性附录和1个资料性附录以详细说明索道的计算、主要部件的技术参数。

第1章"范围"，主要说明本标准的适用范围和用途。

第2章"规范性引用文件"，列出了本标准引用的标准。

第3章"术语和定义"，解释了本标准提出和使用的术语和定义。

第4章"型式与型号"，规定了索道产品的主要型式、命名方法、型号规定原则。

第5章"设计与选型要求"，规定了索道产品设计的边界条件和设计要求、主要技术参数，主要部件的配备要求。

第6章"制造要求"，提出了索道产品各主要部件的加工要求。

第7章"检验与试验"，提出了索道产品出厂检验与试验、型式试验的方法和要求。第7章的内容是第6章内容的延续。

第8章"标志、包装、运输、储存"，明确了索道产品标志、包装、运输、储存的要求。

本标准还设了7个规范性附录和1个资料性附录，以详细说明索道的计算方法、主要部件的结构和主要技术参数。

38

本标准是在分析、总结浙北—福州 1000kV 特高压交流输变电工程、川藏联网工程关于施工索道安装、运行、维护、拆除及管理方面的经验，结合当前国内架空输电线路施工运输专用货运索道生产的现状的基础上编制的。

本标准各章内容既有独立性，可独立使用，又有关联性，可组合使用。

本标准的内容只满足现有索道产品的设计、制造、检验、试验、标志、包装、运输、储存，若索道产品的设计、制造、检验、试验、标志、包装、运输、储存有了改进后，再结合实际情况讨论是否对本标准开展修订。

六、条文说明

第 2 章　架空输电线路施工专用货运索道为临时性的简易索道，与国家标准规定的货运架空索道在制造、架设、使用上大不相同，所以不能引用索道相应国家标准。

第 3.1 节　架空输电线路施工专用货运索道为临时性的简易索道。当需要运输的架空输电线路施工所用物料运输完成后，索道将被拆除。

第 4.1 节　1000kg 级索道运输能力为单个集中荷载为 1000kg 或多个集中荷载等距离布置且总重量不超过 1000kg；2000kg 级索道运输能力为单个集中荷载为 2000kg 或多个集中荷载等距离布置且总重量不超过 2000kg；4000kg 级索道运输能力为单个集中荷载为 4000kg 或多个集中荷载等距离布置且总重量不超过 4000kg。1000kg 级索道、2000kg 级索道、4000kg 级索道按运输方式可分为：循环式索道、往复式索道、缆式吊车索道；按跨挡数量分为单跨索道、多跨索道。1000kg 级索道宜选用单索索道；2000kg 级索道宜选用双索索道；4000kg 级索道可选用双索索道或四索索道。

索道的等级为 1000kg 级、2000kg 级、4000kg 级，运输能力在 4000kg 级以上的索道另行设计。载荷状态为各等级的边界状态。

第 5.1.3 条　因架空输电线路施工专用货运索道的架设、使用情况与国家标准规定的货运架空索道大不相同，所以，架空输电线路施工专用货运索道主要部件的安全系数是根据架设、使用要求以及施工实践确定的。

第 5.1.4 条　索道支架可采用的复合材料为碳纤维、玻璃钢。

第 5.1.6 条　索道超载报警装置为在承载索的一端串联一与报警装置相连的拉力传感器。当承载索的张力超出报警装置时，传感器发出的电信号大于报警装置的报警装置，报警装置开始报警。

第 5.2.9 条　1000kg 级索道辅助工器具主要为手扳葫芦、尼龙绳、经纬仪、钢丝绳套、起重滑车、钢丝绳卡具、卸扣、对讲机。